ILIK, ATOU ET GRAOU-GRAOU

Une histoire de
CHRISTIAN DEVEZE

Illustrée par
SOPHIE HÉROUT

Hemma

À nos petits amis canadiens,

Ce livre est basé sur les aventures de deux petits Esquimaux. Au Canada, vous les appelez « Inuits », mais en Europe, ce terme « Esquimau » désigne une peuplade, tout comme on désignerait les Indiens, les Africains ou les Lapons. N'y voyez donc aucun sujet à malice et tournez vite la page pour découvrir les aventures de nos deux sympathiques amis.

LE GROENLAND

Près du pôle Nord, au bout de la terre, il existe une île. On l'appelle le Groenland. Sur une carte de géographie, le Groenland dessine une grosse tache blanche au milieu de l'océan. Blanche comme la neige et la glace qui la recouvrent éternellement. Car là-bas, il n'y a ni printemps ni automne, à peine quelques mois où le froid est un peu moins vif.

C'est le pays des Esquimaux, des

phoques et des ours blancs ; c'est aussi, paraît-il, le pays du père Noël. On dit qu'il habite ici pendant l'année, quand il prépare les cadeaux des enfants du monde entier. Mais il est tellement occupé que, sur la banquise, jamais personne ne le rencontre. Ce n'est pas comme les rennes ! Au Groenland, on les aperçoit souvent passant à l'horizon. Ils vont en troupeau ou bien se promènent en solitaire. Peut-être y a-t-il parmi eux ceux qui, la nuit de Noël, tirent dans le ciel le traîneau du père Noël ?

Des côtes gelées du Groenland, se détachent parfois d'immenses blocs de glace qui partent à la dérive comme des îles flottantes. Ce sont des icebergs.

Il y a très longtemps, vivaient dans ces régions gelées un petit Esquimau et sa sœur. Le premier s'appelait Ilik, et sa sœur, Atou.

Un jour, il leur arriva une aventure extraordinaire, tellement fantastique que je vous propose, petits lecteurs, de suivre pas à pas nos petits esquimaux.

Accrochez-vous bien, car au Groenland, les icebergs peuvent vous emporter loin à la dérive…

Vous êtes prêts ?

UNE ÉPIDÉMIE

En ce temps-là, les Esquimaux vivaient de la chasse et habitaient dans des igloos. Un igloo est une drôle de maison toute ronde, construite avec des blocs de neige, sans toit, ni fenêtre ni porte. On dirait une grosse boule de glace au citron. Un géant se régalerait ! Pour pénétrer à l'intérieur, il faut passer par un trou en rampant. Ce n'est pas très

commode, mais une fois à l'intérieur, on est bien abrité du froid.

C'est l'hiver ; dehors une tempête de neige souffle sur le village esquimau. Ilik et Atou, au chaud dans leur igloo, écoutent leur père parler avec d'autres chasseurs. Le père d'Ilik et d'Atou est le chef du village et, aujourd'hui, il est très inquiet.

– Voilà l'hiver, dit-il. Et presque tous les chasseurs du village sont malades.

– Oui, répondent les chasseurs. Les réserves de nourriture seront bientôt épuisées. Qu'allons-nous devenir ?

Depuis une semaine, une épidémie s'est abattue sur le village. Un Esquimau est rentré de la chasse sans avoir rien attrapé, et très fatigué. Si fatigué que, le lendemain, il n'a pu se lever pour retourner chasser. Sur son visage et sur ses mains, des milliers de petits boutons rouges sont apparus.

Les jours suivants, d'autres chasseurs sont restés couchés, eux aussi couverts des mêmes petits boutons rouges. Et puis, ça a été le tour des femmes et des enfants. Maintenant, c'est presque tout le village qui est malade et personne ne sait comment soigner cette maladie.

– Qu'allons-nous devenir ? répètent les chasseurs.

Quand les chasseurs sont partis, Ilik dit à sa sœur :

– Il faut sauver le village !

La maladie n'a pas touché Ilik et Atou. Tous deux sont en pleine forme.

– Oui, mais comment faire ? demande Atou.

– En allant chasser et en rapportant beaucoup de viande fraîche, lui répond Ilik ; bien nourri, le village guérira.

Dans la nuit, sans aucun bruit, Ilik et Atou se préparent. À l'aube, quand le village dort encore, ils mettent le nez dehors. La tempête s'est calmée. Des flocons de neige flottent dans l'air, se balancent doucement avant de se poser, légers comme des plumes sur le tapis blanc.

– Que diront nos parents en se réveillant, quand ils ne nous trouveront pas ? s'inquiète tout à coup Atou.

– Nous serons rentrés ce soir, répond Ilik, et avec toute la viande que nous aurons, ils seront très contents ! Allez, viens, dépêchons-nous.

Ilik et Atou chargent leurs affaires sur un traîneau, y attellent des chiens, puis s'installent bien confortablement. Sur un ordre d'Ilik, les chiens se mettent à avancer. La journée de chasse commence.

— Je connais un coin sur la banquise, où il y a beaucoup de phoques, dit Ilik.

— Comment ferons-nous pour les attraper ? demande Atou.

— Comme papa et les chasseurs du village. Nous tendrons un filet. Je les ai vus faire, l'autre jour, quand je les ai accompagnés.

Le traîneau glisse doucement sur la

grande étendue blanche, laissant dans son sillage la trace des patins et les empreintes des pattes des chiens.

Bientôt, ils arrivent au bord de la mer. Ils longent la côte un moment, puis Ilik arrête le traîneau.

– Je reconnais l'endroit, dit-il. C'est juste ici, entre les icebergs et cette petite montagne.

Sans attendre, ils déballent le filet et se mettent au travail.

– Voici le filet tendu, dit Atou. Nous n'avons plus qu'à attendre.

– Grimpons sur cette montagne, dit Ilik. De là-haut, nous serons mieux placés pour surveiller notre piège.

Le sommet de la montagne est un observatoire idéal. Ainsi perchés, Ilik et Atou dominent les environs. Autour d'eux, tout est blanc. L'attente commence. Tout d'abord, ils guettent, silencieux, les yeux fixés vers l'endroit où ils ont posé le filet.

Mais, peu à peu, leur attention se relâche. C'est long et ennuyeux de rester ainsi sans rien d'autre à faire qu' attendre !

Comme aucun phoque ne vient, Atou propose à Ilik de se raconter les histoires apprises par les vieux du village aux veillées. C'est Ilik qui commence. Il choisit celle de Koassasuk, ce petit garçon qui n'arrivait pas à grandir et que tourmentent, sans arrêt, les enfants du village. Jusqu'au jour où, grâce à un renard magicien, il devient si fort qu'il tue d'un seul coup trois ours blancs.

PERDUS
DANS LE BROUILLARD

Plongés dans le récit de Koassasuk, Ilik et Atou ne voient pas le brouillard tomber. Aussi, quelle n'est pas leur surprise quand Ilik a terminé l'histoire !

– Flûte ! s'écrie Atou. D'ici, il n'est plus possible de surveiller notre filet.

– Viens, répond Ilik. Allons voir de plus près.

Avec prudence, Ilik et Atou descendent la pente. On voit à peine où poser

les pieds, tant le brouillard est épais. Arrivé au pied de la montagne, Ilik, sans hésiter, part droit devant lui. Atou l'arrête.

– Es-tu sûr de la direction, Ilik ? lui demande-t-elle.

– Bien sûr, viens, suis-moi ! répond-il.

– Moi, je crois qu'il faut aller de l'autre côté, insiste Atou.

– Mais non, tu te trompes, allez, viens !

Atou finit par suivre Ilik.

« Après tout, il a peut-être raison, pense-t-elle, et puis il est déjà allé à la chasse, il doit savoir. »

Mais au bout d'un moment, Atou s'inquiète à nouveau.

– Cela fait longtemps que nous marchons, Ilik, et nous n'avons pas encore rejoint le traîneau.

Cette fois, Ilik hésite. Il s'arrête.

– Comment s'y retrouver ? se plaint Atou, de plus en plus anxieuse. On n'y voit pas à deux pas…

– De plus, enchaîne Ilik, le ciel et le sol se confondent. Il est impossible de suivre un quelconque repère.

– Que suggères-tu, Atou ?

Désemparée, la petite fille ne trouve rien de mieux que cette idée :

– Ou bien nous continuons, ou bien nous faisons demi-tour… Qu'en penses-tu, Ilik ?

– Oh, tu sais, dans un tel brouillard, c'est pareil ! Je préfère toutefois la seconde solution. Ne perdons pas courage : rebroussons chemin.

UNE BELLE PRISE

Depuis longtemps déjà, Ilik et Atou ont rebroussé chemin. Dans le brouillard, ils avancent à tâtons. Ils marchent, marchent sans parvenir à retrouver le traîneau.

– Nous sommes perdus, dit Ilik d'un air découragé.

– Continuons encore ! dit Atou. Nous ne sommes pas loin et quand nous approcherons du traîneau, le jappement des chiens nous guidera.

Ilik et Atou repartent et, comme pour leur redonner courage, le brouillard se fait un peu moins épais.

– Le brouillard se lève, dit Atou.

– Oui, et je vois le sommet de la montagne, répond Ilik. Nous sommes dans la bonne direction.

Réconfortés, Ilik et Atou accélèrent le pas. Bientôt, ils entendent les chiens de traîneau. Les deux enfants s'arrêtent.

– Nous arrivons ! crie Atou, joyeuse.

Mais Ilik ne partage pas sa joie.

– Écoute, dit-il.

– Quoi donc ? demande Atou.

– Les chiens ! répond Ilik.

Les chiens grondent, aboient furieusement. Ce n'est pas le jappement joyeux qui accueille d'habitude Ilik et Atou.

– On dirait qu'ils sentent un danger, dit encore Ilik. Allons voir.

En plongeant à nouveau dans le brouillard, Ilik et Atou foncent vers le traîneau.

Les aboiements des chiens se font entendre plus fort, mais le brouillard encore épais empêche Ilik et Atou de voir devant eux. Enfin, ils arrivent près du traîneau.

– Tout doux, les chiens ! dit Ilik. Nous sommes là, qu'y a-t-il ?

Mais les chiens ne se calment pas et aboient de plus belle en direction du filet. Alors, Ilik et Atou s'avancent vers le piège. À son endroit, l'eau bouillonne, s'agite, gicle de part et d'autre.

– Nous avons attrapé un phoque ! hurle Ilik.

– Hourra ! fait Atou.

– Voici pourquoi les chiens aboyaient, ajoute Ilik.

– Enfin, quelque chose à se mettre sous la dent ! se réjouit Atou. Je dresse la

table. Occupe-toi de l'attraper, Ilik !

Nos deux Esquimaux s'affairent à qui mieux mieux. Quand soudain, un grognement bizarre se fait entendre. Effrayée, Atou interroge son frère.

– Le brouillard est trop épais. Je ne vois pas ce que c'est, répond-il, inquiet.

Courageusement, Ilik se propose de faire quelques pas et d'éclaircir le mystère du grognement. Toutefois, c'est dans la mauvaise direction qu'il se dirige, car, tout à coup…

LA FAMILLE OURS BLANC

… Ilik et Atou se retournent. Devant eux, accompagnés de leur petit, deux ours blancs leur font face.

Le phoque offre un succulent repas aux ours. D'être ainsi dérangés au moment de passer à table les met très en colère.

Les deux ours paraissent à Ilik et Atou aussi hauts que des montagnes.

L'ourson, lui, même dressé sur ses pattes arrière, ne dépasse pas la taille d'Atou. Mais, se sachant protégé par ses parents, il marche en tête, essayant de prendre des airs menaçants.

– Si tu crois que je vais laisser le phoque, tu te trompes, pense Ilik en regardant l'ourson. Et puis, tu ne me fais pas peur.

Mais, quand le père ours émet un autre de ses terribles grognements, Ilik se dit qu'il aura bien besoin de toute la force de Koassasuk pour arriver à vaincre les ours blancs.

– Et ma lance est restée sur le traîneau ! pense-t-il, paralysé.

Les ours avancent. Trop impressionnés, Ilik et Atou ne songent même pas à fuir. Et puis, à quoi bon ? Derrière eux, il y a la mer et son eau glacée. Le petit ourson est déjà tout près. Les deux autres ours approchent lentement, pas à pas, sûrs de ne faire qu'une bouchée d'Ilik et Atou.

Mais, quand les chiens, restés attelés, aperçoivent leurs petits maîtres sur le point de se faire dévorer, ils se ruent vers les deux grands ours, leur barrant le passage avec le traîneau. Les ours, surpris par cette arrivée inattendue, ont un mouvement de recul. Ilik, profitant de ce répit, se précipite sur le traîneau, saisit sa lance, et de toutes ses forces, la jette vers le père ours. Mais Ilik a mal visé, la lance passe à côté des oreilles de l'ours sans le toucher. L'ours, furieux, gronde encore plus fort et se remet en marche.

Ilik voudrait prendre son arc et ses flèches, mais il est trop tard. Maintenant, plus rien ne peut arrêter les ours.

Soudain, on entend un gigantesque craquement, et une ligne tracée à la vitesse de l'éclair fend la glace. Sur le

sol, elle dessine une frontière entre les deux ours blancs d'un côté, Ilik, Atou, les chiens et le petit ourson, de l'autre. La fente s'élargit et devient large comme une crevasse. Puis, on entend encore un autre craquement et un énorme bloc de glace, dans un « plouf ! » retentissant, se détache de la banquise. Les deux ours blancs sont aspergés d'eau ; Ilik et Atou, eux, avec les chiens et le petit ourson, sont secoués et balancés comme un bateau pris dans une tempête. Mais ce n'est pas un bateau. C'est un iceberg ! Un iceberg qui enlève Ilik et Atou des griffes des terribles ours. Très vite, la mer se calme, l'iceberg cesse de remuer et, bientôt, commence sa lente dérive. Alors, Ilik et Atou jettent un regard vers la banquise ; les deux ours blancs leur paraissent tout à coup bien loin.

À LA DÉRIVE

L'iceberg quitte la côte. Les deux ours blancs deviennent de plus en plus petits. Au bord de l'iceberg, l'ourson regarde s'éloigner ses parents. Il voudrait les rejoindre, mais il sait à peine nager. Il a perdu son air méchant et ses yeux sont pleins de tristesse.

– Ne t'inquiète pas, petit ours. Dès que nous toucherons terre, nous te

ramènerons à tes parents, lui dit Atou sans rancune.

Atou s'approche pour le consoler, mais le petit ourson, croyant qu'il lui veut du mal, se dresse à nouveau sur ses pattes arrière et essaie de grogner comme ses parents.

– Graou ! Graou ! fait-il.

Mais c'est beaucoup moins impressionnant que son papa !

– Bon, bon ! dit Atou en riant, reste dans ton coin.

– Nous voilà sur un drôle de bateau, dit Ilik. Où va-t-il nous emmener ?

– Il va où il veut, répond Atou.

La côte a maintenant disparu et l'iceberg prend le large.

– Que diront nos parents si nous ne sommes pas rentrés ce soir ? s'inquiète Ilik.

Ilik et Atou voguent ainsi tout le jour sur l'iceberg. À plusieurs reprises, Atou va voir le petit ours, mais, à chaque fois, il se dresse sur ses pattes arrière et lance des « graou ! »

– Allons, soyons amis ! lui dit Atou. D'abord, comment t'appelles-tu ?

Mais, pour toute réponse, Atou n'a droit qu'au « graou ! graou ! »

– Graou-Graou ! Pourquoi pas ? C'est un bien joli nom.

La nuit arrive. Ilik et Atou mangent les provisions emportées ce matin et les partagent avec les chiens et l'ourson

Graou-Graou, puisque c'est ainsi qu'il s'appelle désormais. Au début, Graou-Graou ne veut pas toucher à la nourriture. Mais il ne résiste pas longtemps au gargouillis de son ventre et, en un clin d'œil, il engloutit son repas.

Ilik et Atou se préparent à passer leur première nuit sur l'iceberg. Ils taillent des blocs de glace et construisent un igloo. Quand ils ont terminé, ils étendent des fourrures à l'intérieur et appellent l'ourson.

– Graou-Graou, viens dormir avec nous dans l'igloo, dit Atou.

Mais l'ourson ne bouge pas.

– Allez, viens ! Nous aurons bien chaud, insiste-t-elle.

Décidément, l'ourson ne veut rien entendre. Mais quand, dans la nuit, un vent glacé se met à souffler, Graou-Graou court vite dans l'igloo et vient se blottir contre Ilik et Atou.

UNE PARTIE DE PÊCHE

Le lendemain, Ilik, Atou et leur nouvel ami, Graou-Graou, décident d'explorer leur iceberg. En un rien de temps, ils en font le tour, tant celui-ci est petit. Mais pour jouer à cache-cache, l'iceberg est bien assez grand. Ils organisent donc une partie et c'est Graou-Graou qui gagne. Rien d'étonnant, c'est facile pour lui avec sa fourrure blanche de se cacher dans la neige. Graou-Graou est tellement content d'avoir gagné la partie, qu'il se roule par terre, puis il se dresse sur ses pattes arrière et, avec celles de devant, il se tape sur le ventre.

– Tu as faim, Graou-Graou, dit Ilik. Nous aussi, mais nous n'avons plus de provisions.

– Qu'allons-nous manger ? demande Atou.

– Du poisson, répond Ilik.

– Du poisson ! Mais comment l'attraper ? demande Atou.

– Avec du fil et des hameçons, répond Ilik. Viens, allons au traîneau.

Munis chacun d'une ligne, Ilik et Atou commencent à pêcher.

Il ne faut pas longtemps pour qu'un poisson se laisse prendre ; puis un autre et encore un autre. Au bout d'une heure,

Ilik et Atou ont pris plein de poissons.

– Voici un bon repas, dit Ilik en contemplant le tas de poissons.

– N'est-ce pas, Graou-Graou ! ajoute Atou en riant.

Graou-Graou n'a pas attendu la fin de la partie de pêche pour passer à table. Il en est déjà à son quatrième poisson.

DU MIEL

De parties de cache-cache en parties de pêche, le temps passe sur l'iceberg, perdu au milieu de l'océan. Ilik et Atou guettent souvent l'horizon, espérant voir apparaître un bateau, une île ou une bande de terre. Mais il n'y a en face d'eux que l'étendue bleue de l'océan.

– J'en ai assez des parties de cache-cache, dit Ilik.

– Et de manger du poisson à tous les repas ! ajoute Atou.

Même Graou-Graou ne dévore plus avec autant d'appétit les poissons que pêchent Ilik et Atou.

Ilik regarde un long moment la mer, puis, tout à coup, il aperçoit à la surface de l'eau un drôle d'objet qui flotte.

C'est une caisse de bois rescapée d'un naufrage qui se balance doucement au gré des flots.

La caisse se rapproche de l'iceberg et vient se heurter au bord.

– Allons, viens m'aider ! crie Ilik à Atou.

Les deux petits Esquimaux essayent de hisser la caisse de bois sur l'iceberg. Mais la caisse est lourde, ce n'est pas facile. Enfin ils réussissent à la sortir de l'eau.

– Que peut-il y avoir dedans ? demande Atou.

– Nous allons voir, répond Ilik en

soulevant le couvercle.

La caisse est remplie de pots, tous semblables.

Ilik prend un pot et l'ouvre. Le pot contient une pâte gluante dorée comme le soleil. Ilik plonge son doigt et le met en bouche. C'est du miel !

– Hum ! C'est bon ! Goûte, Atou !

Atou plonge à son tour le doigt dans le pot de miel.

– Oui, dit-elle, après s'être léché le doigt. Quel délice !

– À ton tour, Graou-Graou ! dit Ilik.

Graou-Graou, lui, goûte le miel d'un coup de langue. Pour montrer qu'il aime, il saute sur place en poussant de petits grognements.

Alors, Atou lui tend le pot. Graou-Graou le soulève au-dessus de lui, penche la tête en arrière et fait couler le miel comme une fontaine dans sa bouche.

Ilik et Atou rient aux éclats.

– Sacré Graou-Graou ! Il n'y a pas plus goulu que lui ! Du calme, petit ours, il faut en garder pour demain, dit Ilik.

– Moi, dit Atou, j'en ai tellement assez du poisson que je ne mangerais plus que de ce délicieux miel !

– Au lieu de dire des sottises, Atou, si tu inventais plutôt une nouvelle recette de poisson au miel ! reprend Ilik.

– Oh, quelle horreur ! Tu sais que le sucré et le salé ne font pas bon ménage. Gardons-le plutôt pour le dessert.

Et ainsi, grâce à ces dons du ciel – ou plutôt de la mer –, la vie sur l'iceberg est un petit peu plus agréable.

UNE FAUSSE ARRIVÉE

Les jours passent sur l'iceberg, et toujours pas de terre en vue.

Grâce à la caisse de miel trouvée en mer, les repas sont un peu plus gais. Mais à la vitesse où Graou-Graou engloutit les pots, il n'y en a bientôt plus.

Ilik et Atou, comme tous les jours, scrutent le vaste océan.

– Rien ! Pas la moindre petite île à l'horizon, rien que le bleu de la mer, dit Ilik.

– Et le bleu du ciel, ajoute Atou en levant les yeux pour le contempler.

Tout à coup, Atou se met à crier.

– Ilik, Ilik, regarde !

– Quoi ? demande Ilik.

– Là, dans le ciel, un oiseau ! Nous approchons d'une terre, répond Atou.

– Hourra, hourra ! crie Ilik.

Ilik et Atou se prennent par la main et

dansent sur place, tant ils sont contents. Graou-Graou veut aussi partager leur joie. Alors, tous trois, main dans la main, et patte dans la main, font une ronde en chantant une chanson esquimau.

– Nous toucherons terre bientôt, dit Ilik.

Mais Ilik et Atou ne sont pas sur un bateau. Personne ne peut guider l'iceberg. Personne ne peut lui dire sa route.

L'iceberg va là où il veut, poussé par la mer et les vents.

Le soleil se couche, le jour baisse et la nuit enveloppe bientôt l'iceberg. Le lendemain, quand Ilik et Atou se réveillent, une large bande de terre se dessine à l'horizon. L'iceberg prend la bonne direction.

– Nous approchons ! Nous approchons ! crie Ilik.

La terre grossit. Ilik et Atou peuvent maintenant apercevoir la côte. L'arrivée est proche. Mais, près de la côte, se dresse un gros rocher pointu. Il est tranchant comme un couteau et les vagues viennent se briser contre lui. L'iceberg va droit dessus.

– Attention ! crie Ilik.

Dans un grand fracas, l'iceberg heurte le rocher, puis se fend en deux. Ilik, Atou, Graou-Graou et les chiens restent ensemble sur une moitié de l'iceberg, mais, dévié par le rocher, l'iceberg change de cap. Il prend la direction du large et un courant contraire les repousse alors en pleine mer.

LA GLISSADE

Voilà Ilik et Atou à nouveau perdus au milieu des flots, après avoir été si près de toucher terre.

– Quand reverrons-nous nos parents et notre village ? se désolent Ilik et Atou.

Ce soir-là, dans l'igloo, Ilik et Atou se couchent très tristes.

Coupé en deux par le rocher, l'iceberg est devenu minuscule. Ilik, Atou et Graou-Graou n'ont pas assez de place pour jouer à cache-cache. Et puis, il n'y a presque plus de miel.

Plus de partie de cache-cache ! Plus de miel ! Quelle tristesse sur l'iceberg !

Graou-Graou s'ennuie. Ilik et Atou ne veulent plus jouer avec lui ! Maintenant, quand ils ont fini de pêcher, au lieu de s'amuser, Ilik et Atou restent silencieux à regarder la mer.

Alors, pour se distraire, Graou-Graou

décide d'inventer un jeu. Ilik et Atou ont abandonné la caisse aux pots de miel près de l'igloo. La caisse vide lui donne une idée.

Au milieu de l'iceberg, il y a une butte. Graou-Graou prend la caisse et la tire jusqu'au sommet. Arrivé là-haut, il saute dans la caisse et se met à glisser comme sur une luge. C'est très amusant ! La caisse descend vite, de plus en plus vite, tellement vite même, qu'en bas de la butte, la caisse, emportée par son élan, ne s'arrête pas. Elle continue de filer jusqu'au bout de l'iceberg et décolle comme un avion. La caisse tourne deux ou trois fois dans l'air, puis tombe à la mer.

Au début, Ilik et Atou n'en peuvent plus de rire. Ils se tiennent le ventre en voyant leur petit compagnon s'adonner aux joies de la glisse :

– Arrête, Graou-Graou, c'est trop drôle ! lui crient-ils.

– J'aimerais essayer, avoue Ilik.

– Mais tu ne pourrais pas, répond sa sœur, tu es trop grand !

Mais, quand, un peu plus tard, les enfants voient la caisse partir loin de l'iceberg, ils ne rient plus.

– Cours chercher une corde, dit Atou à son frère. Il y en a une attachée à notre traîneau…

À toute vitesse, Ilik se dirige vers le traîneau et revient avec la corde, après en avoir fait un lasso.

– Lance-la et essaie d'attraper la caisse ! s'écrie Atou.

À plusieurs reprises, la corde n'atteint pas l'ourson.

– Ouf ! Cette fois, tu as réussi, dit Atou à son frère. Il était temps !

En tirant sur la corde, Ilik et Atou ramènent Graou-Graou sur l'iceberg.

– Mon pauvre ourson, nous aurions pu te perdre pour toujours ! dit Atou, les larmes aux yeux.

– Oublions ça, dit son frère : tu nous as aussi beaucoup fait rire !

LA BALEINE

Un matin, c'est Graou-Graou qui réveille Ilik et Atou. Il pousse de petits grognements.

– Qu'est-ce qu'il y a, Graou-Graou ? lui demande Ilik.

Graou-Graou le tire par la manche.

– Tu veux me montrer quelque chose, Graou-Graou ? dit Ilik. Bon ! je te suis.

Ilik sort de l'igloo et regarde autour de lui, mais il ne voit rien d'inhabituel.

– Eh bien, qu'as-tu vu ? demande Ilik.

Du bout de sa patte, Graou-Graou montre la mer.

– Je ne vois rien, dit Ilik.

C'est alors que la mer se soulève et qu'une baleine surgit devant lui, lançant un jet d'eau au-dessus de sa tête.

– Oh ! une baleine ! Viens voir, Atou, appelle Ilik.

Atou arrive à son tour.

– Comme elle est belle ! dit-elle.

– Et quelle chance elle a d'aller où elle veut ! ajoute Ilik.

– Elle pourrait nous ramener chez nous, dit encore Atou.

– Ça, c'est une idée ! répond alors Ilik. Je vais essayer de lui attraper la queue avec la corde, nous l'attacherons à un bloc de glace et nous n'aurons plus qu'à nous faire remorquer.

Du premier coup, Ilik attrape la queue de la baleine, qui aussitôt se met en route. Ainsi tiré par la baleine, l'iceberg avance vite, et dans la journée la terre est en vue.

Quand l'iceberg arrive près de la côte, Ilik lâche la baleine. Cette fois, aucun rocher ne dévie l'iceberg de la côte, et bientôt, ils touchent la terre ferme.

L'endroit où viennent d'arriver Ilik et

Atou ressemble étrangement au Groenland. Comme le pays d'Ilik et Atou, il semble n'être fait que de neige et de glace.

– On dirait chez nous, dit Atou, en posant un pied dans la neige. Crois-tu que nous sommes rentrés, Ilik ?

– Je n'en sais rien, répond Ilik. Attelons les chiens et allons voir !

Les chiens attelés, Graou-Graou, Ilik et Atou s'installent sur le traîneau.

– En avant ! crie Ilik.

Le traîneau tiré par les chiens se met alors en route.

La terre où ils ont accosté ressemble de plus en plus à leur pays, le Groenland. Partout, cette même étendue de glace recouverte de neige. Toutefois, au loin, il y a quelque chose de très différent du pays d'Ilik et d'Atou...

– On dirait la forêt, dit Atou.

– Tu as raison, enchaîne Ilik. Ce pays

n'est pas le nôtre. Je n'ai jamais vu autant de sapins.

– Il doit certainement y avoir un village à proximité, dit Atou. Allez, les chiens, plus vite !

Nos deux compagnons, accompagnés de Graou-Graou, pénètrent plus avant dans cette contrée inconnue. Peu à peu, le paysage change.

– Oh ! regarde, Atou, un chemin de traîneau. Youpi ! Encore un peu de patience et nous rencontrerons sûrement quelqu'un, se réjouit Ilik.

AU CANADA

Ils n'ont pas parcouru deux kilomètres qu'Ilik et Atou croisent un autre traîneau conduit par un homme grand comme un ours blanc. Les deux traîneaux s'arrêtent.

– Bonjour, monsieur ! disent Ilik et Atou.

– Bonjour, les enfants ! répond l'inconnu d'une voix grave.

– Où sommes-nous, monsieur, s'il vous plaît ? demande Ilik.

– Comment ça, où sommes-nous ? répond le monsieur. Au Canada, pardi ! D'où venez-vous pour ne pas savoir ça ?

– De l'autre côté de la mer, répond Atou. Nous sommes des Esquimaux.

– Mais, alors, que faites-vous là ? questionne le grand monsieur.

– Nous étions partis chasser et... commence Ilik.

– Ah ! vous aussi, vous chassez, coupe l'homme. Alors, vous êtes des trappeurs comme moi !

– Des quoi ? demande Ilik.

– Des trappeurs, répète le monsieur. C'est comme cela qu'on appelle les chasseurs, ici.

Maintenant, il faut que je vous quitte, au revoir !

Mais, au moment de partir, le trappeur aperçoit Graou-Graou qui, jusque-là, était resté couché sous des fourrures.

– Un ourson blanc ! s'exclame-t-il. Voilà une bien belle fourrure, je vous l'achète.

– Graou-Graou est notre ami, répond Atou. Il n'est pas à vendre !

– Dommage ! dit le trappeur. Et il s'en va sans plus attendre.

Le trappeur parti, Atou dit à Ilik :

– Nous sommes au Canada, Ilik. Qu'allons-nous faire ?

– Continuons, répond Ilik. Nous finirons bien par arriver dans un village.

Le traîneau repart.

Ilik et Atou filent tout le jour, mais ils ne rencontrent aucun village. À la tombée de la nuit, ils aperçoivent enfin une maison. C'est une cabane construite avec des rondins de bois. À travers les fenêtres, nulle lumière ne brille, et de la

cheminée, nulle fumée ne s'échappe.
Ilik et Atou appellent. Personne ne
répond. Ils s'approchent, la porte n'est
pas fermée à clé.

– Entrons, dit Ilik.

Dans la cabane en rondins, il y a de
quoi passer une bonne soirée et une
bonne nuit : du bois pour faire le feu, un
grand lit et de quoi manger. Ilik allume
le feu et Atou prépare le repas avec les
provisions trouvées dans la cabane. Puis,
ils mangent en regardant les flammes
danser dans la cheminée. Le repas fini,
épuisés de fatigue, ils sautent dans le
grand lit et s'endorment aussitôt.

ET LE TOUR EST JOUÉ

Le lendemain matin, une voix terrible les réveille.

– Voilà du drôle de gibier dans mon lit !

Un trappeur, à la barbe épaisse, est entré dans la cabane. Il est grand comme un géant et a l'air très en colère.

– Vous allez voir ce qu'il en coûte

d'entrer dans la cabane de Peter le trappeur ! dit-il.

Ilik, Atou et Graou-Graou tremblent de peur.

– Vous êtes mes prisonniers, ajoute le trappeur. Et comme ma provision de bois pour l'hiver n'est pas prête, vous couperez des bûches. Allez, debout !

– Nous couperons votre bois, dit Atou. Mais laissez partir Graou-Graou.

– Une belle fourrure comme ça ! répond Peter le trappeur. Sûrement pas. Je vais plutôt construire une cage pour l'enfermer et, quand il sera grand, je le vendrai.

Près de la cabane en rondins et sous le regard terrible de Peter le trappeur, Ilik et Atou travaillent dur. Avec une hache, Ilik fend des grosses bûches de bois et Atou les empile les unes sur les autres.

Pendant ce temps, avec des branches

et de la corde, Peter le trappeur construit la cage pour enfermer Graou-Graou.

– Il faut nous échapper, dit doucement Ilik à sa sœur.

– Oui, mais le trappeur est très fort ; si nous nous enfuyons, il nous aura très vite rattrapés !

– Oui, il faut l'empêcher de nous poursuivre, dit Ilik.

– Comment faire ? demande Atou. Ilik réfléchit un moment.

– J'ai trouvé, dit-il tout à coup. Quand Peter le trappeur aura fini de construire la cage de Graou-Graou, nous l'enfermerons dedans.

– Bonne idée ! répond Atou.

Ilik et Atou se sont remis au travail. Les bûches, rangées avec soin par Atou, forment maintenant un mur, qui va des premiers arbres de la forêt jusqu'à la cabane de Peter le trappeur.

Celui-ci finit de construire la cage de

Graou-Graou.

– Voilà du beau travail, dit-il, quand il a terminé.

Ilik et Atou s'approchent.

– Oui, vous avez bien travaillé, dit Ilik. Mais la cage a l'air petite.

– Mais non ! Mais non ! répond Peter le trappeur. Regardez, je peux aller dedans, moi qui suis grand comme deux ours blancs !

Et Peter le trappeur entre dans la cage.

– Oui, vous avez raison, dit alors Atou ; mais elle n'a pas l'air très solide.

– Mais si ! Mais si ! répond Peter le trappeur. Regardez !

Accroché aux barreaux, Peter le trappeur secoue la cage de toutes ses forces.

– Oui, vous avez raison, dit Ilik. Mais la porte n'a pas l'air de bien fermer !

– Mais si ! Mais si ! répond encore

Peter le trappeur, en fouillant dans sa poche. Avec ce gros cadenas, personne ne pourra s'échapper.

Et il ferme la porte de la cage avec le cadenas. Mais, avant que Peter le trappeur n'ait eu le temps de retirer la clé, Ilik, rapide comme l'éclair, la lui a prise.

– Vous avez raison, dit Ilik. Personne ne peut s'échapper de cette cage, même pas vous !

Ilik et Atou courent alors délivrer Graou-Graou que Peter avait attaché à un arbre.

– Que tu as l'air triste, mon ourson ! dit Atou. Maintenant, tu n'as plus rien à craindre.

– Dépêchons-nous de le détacher, ajoute Ilik. Il faut nous enfuir dans la forêt.

Et nos trois compagnons, à toutes jambes, empruntent le sentier qui mène dans la forêt. Atou, pour aller plus vite, a pris Graou-Graou dans ses bras. Celui-ci se demande ce qui se passe et ne comprend pas cette agitation soudaine.

Arrivés tous les trois au cœur de la forêt, ils font une courte pause pour reprendre leur souffle.

PRISONNIERS DE PETER

Furieux du tour que viennent de lui jouer Ilik et Atou, Peter le trappeur leur crie :

– Je vous rattraperai, petits garnements ! Gare à vous !

– Enfermé dans la cage, cela m'étonnerait, dit Atou à Ilik.

Mais Ilik et Atou ont oublié une chose. Comme tous les trappeurs, Peter possède un poignard. Les barreaux de la cage tenant avec la corde, il n'a aucun mal à se délivrer.

– Vous allez voir, mes gaillards ! rugit-il. Et il se rue en direction de la forêt.

Dans sa précipitation, il heurte de son pied le tas de bois. Une bûche se détache.

Aussitôt, toutes les autres bûches lui tombent dessus, puis roulent et s'éparpillent sur le sol devant la cabane. Peter le trappeur se retrouve, sur les fesses, par terre. Il jure, se relève, mais, à peine debout, son pied roule sous une bûche et il retombe à terre. Il chute encore plusieurs fois avant d'atteindre la forêt. Pendant ce temps, Ilik, Atou et Graou-Graou s'éloignent.

Mais Peter le trappeur a des jambes de géant. Pour dix pas d'Ilik et Atou, un seul lui suffit. Il fait un grand détour dans la forêt et se retrouve bientôt loin devant les enfants.

Ilik et Atou, croyant le trappeur toujours prisonnier, ont ralenti l'allure et marchent tranquillement dans la forêt.

Soudain, au détour d'une rangée de sapins, Peter sort de sa cachette.

– Ah ! ah ! ah ! On ne me roule pas aussi facilement ! dit-il. Cette fois, vous ne m'échapperez plus, je vous enferme tous les trois dans la cage.

Ilik, Atou et Graou-Graou, suivis du trappeur qui les surveille de près, reprennent le chemin de la cabane. Quand ils arrivent, Peter dit à Ilik :

– Rends-moi la clé du cadenas, Ilik. Le garçon cherche dans ses poches, mais ne la trouve pas.

– Tu l'as perdue ! Eh bien, tant pis pour vous ! Je vous attacherai à un sapin.

– Vous êtes méchant, dit Atou, au bord des larmes. Si j'avais la force de Koassasuk, je me battrais contre vous et je gagnerais. Alors, vous nous laisseriez partir !

– Qui est Koassasuk ? demande le trappeur, intrigué.

– C'est une histoire de chez nous, répond Atou.

Alors, tout comme l'autre jour, Ilik raconte l'histoire de Koassasuk...

Quand Ilik a terminé l'histoire, il dit :

– Même si je ne suis pas Koassasuk, je peux vous battre.

– Toi, épais comme un moucheron ! répond Peter en riant aux éclats. Puis il ajoute :

– Mais si tu veux, faisons un concours pour savoir qui de nous deux est le plus fort.

– D'accord, répond Ilik.

– Il y aura trois épreuves : un bras de fer, une partie de chasse et une course de traîneaux. Si tu remportes une seule de ces épreuves, je vous rendrai à tous les trois la liberté.

– D'accord, dit Ilik. Par quoi allons-nous commencer ?

– Par le bras de fer, répond Peter. Le premier qui fait toucher le bras de l'autre contre la table a gagné !

Le bras de fer est vite expédié : Peter, de l'extrême bout de l'ongle du petit doigt, fait plier le bras d'Ilik.

– Ah ! ah ! ah ! fait Peter. Demain, nous verrons si tu as plus de chance à la chasse.

Le lendemain, de bonne heure, Peter le trappeur et Ilik partent à la chasse.

Dans le milieu de la journée, ils sont de retour.

Peter rapporte plein de gibier. Ilik rentre bredouille.

– Ah ! ah ! ah ! fait encore Peter. Il te reste une dernière chance !

Peter et Ilik attellent les chiens à leurs traîneaux.

– Faisons le tour de la forêt, dit Peter ; le premier revenu à la cabane a gagné.

– D'accord, répond Ilik.

Atou donne le départ. Peter hurle après ses chiens. Alors, les chiens se ruent vers la forêt et arrivent en tête aux premiers sapins.

– Ilik ne gagnera jamais ! se désole Atou.

Mais, surprise ! C'est le traîneau d'Ilik qui débouche le premier, de l'autre côté de la forêt.

Le traîneau de Peter le trappeur le suit de près. Jusqu'à la cabane, on entend hurler Peter après ses chiens.

Mais ses chiens, fatigués de ses cris, ne veulent plus avancer.

Ilik arrive loin devant le traîneau de Peter.

Quand Peter arrive à son tour, il dit à Ilik :

– Tu as gagné l'épreuve, Ilik.

– Oui, j'ai gagné ! répond Ilik, très fier.

– Alors, nous pouvons partir ? demande Atou, impatiente.

– Je vous l'ai promis, vous pouvez partir ! répond Peter.

GRAOU-GRAOU KIDNAPPÉ

Avant de partir, Peter le trappeur donne à Ilik et Atou des provisions pour le voyage, puis il leur dit :
— Si vous voulez rentrer chez vous au

Groenland, allez à la ville. Là-bas, il y a un petit port; vous trouverez sûrement un bateau pour vous ramener. Bonne chance !

– Merci, Peter, répondent Ilik et Atou. Au revoir !

– Au revoir, les enfants !

Sur la grande étendue blanche, Ilik et Atou avancent jusqu'à la tombée de la nuit.

– La ville est encore loin, dit Ilik. Arrêtons-nous ici et construisons un igloo pour la nuit.

L'igloo terminé, Ilik et Atou mangent les provisions de Peter, puis, très vite, s'endorment.

Au milieu de la nuit, Atou se réveille brusquement.

– Tu n'as rien entendu ? demande-t-elle à Ilik.

– Non, répond Ilik, tout endormi.

– Les chiens grognent. On dirait que

quelqu'un rôde autour de l'igloo, dit Atou.

– Ce sont sûrement des rennes, dit Ilik en bâillant. Ne t'inquiète pas et dors.

Atou reste éveillée un moment. Les chiens se sont tus ; succombant bientôt à la fatigue, Atou finit par se rendormir.

– Tu vois, dit Ilik le lendemain matin, ce n'était rien !

– Oui, tu avais raison, répond Atou. Mais où est Graou-Graou ?

Ilik et Atou appellent Graou-Graou. Pas de réponse.

– C'est bizarre, dit Ilik, d'habitude, à peine réveillé, Graou-Graou vient nous dire bonjour à coups de langue.

– Où est-il allé ? se demande Atou. Ilik et Atou appellent encore :

– Graou-Graou ! Graou-Graou !
Rien.

– Regarde, dit tout à coup Atou. Les empreintes des pattes de Graou-Graou dans la neige.

– Suivons-les ! dit Ilik.

Les empreintes de Graou-Graou emmènent Ilik et Atou assez loin de l'igloo. À un endroit, elles se mêlent à des empreintes de bottes ou de grosses chaussures. Puis, les empreintes disparaissent, remplacées par des traces de traîneau. Au milieu de la neige piétinée, il y a un pot de miel renversé.

– Quelqu'un a capturé Graou-Graou en l'attirant avec du miel, dit Atou.

– Il faut le retrouver, dit Ilik.

À toute allure, Ilik et Atou retournent à l'igloo, attellent les chiens et commencent la poursuite.

Mais le traîneau les entraîne jusqu'à la ville.

– Comment retrouver Graou-Graou au milieu de ce monde ? se désole Ilik en arrivant.

EN VILLE

En ville, Ilik et Atou commencent leurs recherches. Ils parcourent les rues de la ville en tout sens, espérant apercevoir Graou-Graou. Mais Graou-Graou est introuvable.

Ilik et Atou décident alors d'interroger tous les marchands de fourrure de la ville. Ouf ! Aucun d'eux n'a acheté d'ourson blanc. Cela rassure un peu Ilik et Atou.

Ils vont aussi au zoo de la ville. Dans une cage, un ours grignote une pomme, mais ce n'est pas Graou-Graou. C'est un ours brun qui les regarde d'un air triste.

Découragés et fatigués, Ilik et Atou s'assoient sur un banc du zoo. Un petit garçon s'approche.

– Pourquoi êtes-vous tristes comme l'ours brun ? leur demande-t-il.

Alors, Ilik et Atou racontent leurs aventures.

Quand Ilik et Atou ont fini de raconter, le petit garçon leur dit :

– Le zoo va bientôt fermer. Je m'appelle Nicolas. Venez dormir chez moi et demain, je vous aiderai à trouver Graou-Graou.

Le lendemain, aidés de leur nouvel ami, Ilik et Atou continuent leurs recherches.

– Séparons-nous, dit Nicolas. Comme cela, nous aurons plus de chances.

– Bonne idée ! répondent Ilik et Atou.

Ilik, Atou et Nicolas partent donc chacun de leur côté.

Ilik vient de tourner le coin d'une rue quand il entend résonner son nom.

– Ilik ! Ilik !

C'est Nicolas qui revient en courant.

– Je sais où est Graou-Graou, dit-il, essoufflé. Allons vite chercher Atou !

Les deux amis retrouvent bientôt Atou. Puis, ensemble, ils se dirigent vers une grande rue. Sur le mur d'une des maisons, une affiche est placardée.

– Regardez, dit Nicolas. Cette affiche annonce le spectacle d'un montreur d'ours. Et le clou du spectacle est un numéro d'équilibre, exécuté par un ourson blanc.

– C'est Graou-Graou ! dit Atou. Allons le délivrer !

– Où a lieu le spectacle ? demande Ilik.

– Venez, suivez-moi ! dit Nicolas.

Ils traversent plusieurs rues avant de déboucher sur une petite place.

– C'est là, dit Nicolas. Il y a déjà beaucoup de monde. Le spectacle va bientôt commencer.

– Où est Graou-Graou ? Je ne le vois pas ! s'impatiente Atou.

– Nous sommes trop loin, répond Nicolas. Approchons-nous.

Alors, Ilik, Atou et Nicolas se glissent au milieu des gens jusqu'au premier rang.

Enfin, le montreur d'ours arrive avec Graou-Graou.

Dès qu'ils le voient, Ilik et Atou appellent Graou-Graou. Graou-Graou reconnaît immédiatement ses amis et se jette dans leurs bras.

– Voulez-vous laisser mon ours, petits garnements ! dit le montreur d'ours avec un air méchant.

– Ce n'est pas votre ours ! C'est Graou-Graou. Vous l'avez attiré avec du miel et puis vous l'avez emmené de force !

Quand les spectateurs entendent cela, ils regardent avec de gros yeux le montreur d'ours qui prend peur et s'enfuit à toutes jambes.

– Viens, mon Graou-Graou, dit Atou, ne crains plus rien !

Quelle joie pour Ilik, Atou et Graou-Graou d'être à nouveau réunis !

– Maintenant, nous pouvons rentrer au Groenland, dit Ilik.

– Venez, dit Nicolas. Je vais vous conduire au port.

Ilik, Atou, Graou-Graou et Nicolas traversent la ville et arrivent bientôt sur le quai. D'immenses bateaux attendent de prendre la mer. Ilik et Atou n'en ont jamais vu d'aussi beaux.

— Voilà le port, dit Nicolas. Il faut que je rentre à la maison, maintenant. Bonne chance, Ilik ! Bonne chance, Atou !

— Au revoir, Nicolas ! Et merci pour tout ! lui crient les petits Esquimaux en lui faisant de grands gestes d'adieu.

UN BATEAU POUR LE GROENLAND

Après avoir dit au revoir à leur ami, Ilik et Atou font le tour des bateaux. Malheureusement, aucun ne part pour le Groenland.

– Nous ne rentrerons jamais chez nous, dit Atou d'une voix remplie de tristesse.

– Demain, d'autres bateaux viendront, répond Ilik pour lui redonner courage. Nous aurons peut-être plus de chance.

– Où allons-nous dormir ? demande Atou.

– Je ne sais pas, répond Ilik. Cherchons un endroit.

Ilik, Atou et Graou-Graou marchent jusqu'au bout du quai. Arrivés là, ils voient un vieux capitaine et deux matelots en train de charger des caisses sur un bateau tout rafistolé.

– Allez, dépêchez-vous, moussaillons ! dit le vieux capitaine. À cette vitesse, nous ne sommes pas encore au Groenland...

– As-tu entendu, Atou ? Ce marin se rend au Groenland. C'est une chance inespérée ! dit Ilik.

– Oui, répond celle-ci, mais comment embarquer ? C'est un bateau de pêche, et il n'y a guère de place pour nous trois…

– Ne te décourage pas. Allons plutôt demander au capitaine, dit Ilik.

Les enfants s'approchent du bateau et abordent le capitaine, qui n'en finit pas de donner des ordres à ses moussaillons.

– Monsieur le capitaine, intervient Ilik, est-il vrai que vous allez au Groenland ?

– Eh oui, mon gaillard, répond le capitaine. Ici, la pêche n'est pas assez abondante, alors nous essayons les mers lointaines. Il y a beaucoup de morue, paraît-il.

– Certainement ! enchaîne Atou, un peu plus confiante. Le Groenland, c'est notre pays, nous le connaissons bien. Vous y ferez bonne pêche, croyez-moi !

– Capitaine, demande Ilik, pouvez-vous nous emmener ? Nous devons rentrer chez nous.

– Ma foi, pourquoi pas ? Mais mon

bateau est petit.

– Ce n'est rien, nous ne prendrons pas beaucoup de place, disent en chœur les enfants. Et puis, nous vous montrerons les endroits où il y a de la morue.

– Très bien, les enfants ! Alors, rendez-vous ce soir, ici même. Nous n'avons pas de temps à perdre.

– Merci, capitaine ! s'écrient les enfants, tout reconnaissants.

– Enfin ! Nous allons revoir nos parents et nos amis. Tu te rends compte, Ilik ?

– Après de telles aventures, nous n'aurons pas assez de veillées pour raconter toutes nos péripéties, dit le petit Esquimau, tout aussi joyeux que sa sœur à l'idée de retrouver les siens.

Quand, dans la nuit, le bateau quitte le port, Ilik, Atou et Graou-Graou dorment déjà. Le lendemain, à leur réveil, ils sont en pleine mer.

Avec son bateau et ses deux matelots, le vieux capitaine part pêcher la morue sur les côtes du Groenland. Malgré son air un peu bourru, c'est un brave homme.

Après avoir entendu le récit d'Ilik et d'Atou, le vieux capitaine s'écrie :

– Eh bien, mes gaillards, quelle aventure ! Mais ne vous inquiétez pas. Demain, nous commençons à pêcher. Je vous mettrai des caisses de morues de côté ; comme ça, vous rapporterez à manger pour votre village.

La traversée est très agréable. De temps en temps, Graou-Graou exécute le numéro d'équilibre que lui a appris le montreur d'ours. C'est très drôle et tout le monde rit beaucoup.

Et puis, enfin, les côtes du Groenland sont en vue.

C'est avec un traîneau rempli de morues qu'Ilik, Atou et Graou-Graou débarquent.

Ils font un dernier signe d'adieu au vieux capitaine et aux marins du bateau, puis prennent le chemin de leur village.

En route, Ilik et Atou laissent Graou-Graou qui va rejoindre ses parents. Tous trois sont très tristes de se quitter, mais Ilik et Atou n'oublieront pas Graou-Graou et viendront souvent le voir.

Enfin, Ilik et Atou arrivent au village esquimau. Quelle joie de retrouver ses parents et ses amis ! Au village, plus personne n'est malade ; ce soir, tout le monde sera là pour fêter le retour d'Ilik et d'Atou. Et savez-vous ce qu'il y aura au menu ?

De la morue, bien sûr !

Table des matières

Le Groenland 5

Une épidémie 8

L'observatoire 12

Perdus dans le brouillard 15

Une belle prise 18

La famille ours blanc 22

À la dérive 27

Une partie de pêche 31

Du miel 34

Une fausse arrivée 38

La glissade 42

La baleine 46

Au Canada 51

Et le tour est joué 55

Prisonniers de Peter 61

Une course de traîneau 64

Graou-Graou kidnappé 68

En ville 72

Un bateau pour le Groenland 79

Retour au Groenland 83

Tu as dévoré cette histoire?

Alors, voici d'autres titres à te mettre sous la dent !

La voisine de Caroline, ma copine,
est une sorcière !
Si vous ne me croyez pas,
ouvrez vite ce livre
et vous verrez que j'ai raison !
Mais avoir une sorcière
pour voisine,
c'est parfois plus rigolo
qu'effrayant, n'est-ce pas, Caro ?

*Les pétillantes illustrations de David Morichon
accompagnent ce récit ensorcellant de Véronique Nitsch.*

Fanfreluche est une mignonne
petite souris très coquette.
Elle a pour amie Ravaudeuse,
une gentille araignée qui lui
confectionne de superbes robes.
Fanfreluche sera-t-elle la plus belle
à la kermesse du village ?
Sera-t-elle élue Miss Gouda ?

Une jolie histoire de Madeleine Mansiet,
délicatement illustrée par Estelle Meens.

Le premier voyage de Zip

Zip est un jeune hirondeau.
Comme tous les oiseaux
migrateurs, il s'apprête à aller
passer l'hiver dans un pays chaud
et nous invite à le suivre
dans son fabuleux voyage
au-delà des mers...

*Pour s'envoler avec les douces illustrations
de Bruno Robert, un chaleureux texte
de Marie-France Mangin.*

Catastrophe !
Dagobert, le savant qui met
toujours sa culotte à l'envers,
a été transformé en pompe à vélo !
Et cela par une sorcière nommée
Hydrophyle...
Pour sauver leur ami,
Lulu et sa petite sœur Mine
partent à la recherche
d'Hydrophyle, qui habite
la mystérieuse vallée perdue...

*Un hilarant moment de lecture, grâce au récit de Daniel Beau
et aux illustrations de François Ruyer.*

la **mini C**

La première bibliothèque des enfants

---

1. Ma voisine est une sorcière

2. Le premier voyage de Zip

3. Aglaé n'en fait qu'à sa tête

4. Ilik, Atou et Graou-Graou

5. La sorcière de la vallée perdue

6. Souris, p'tite souris !

Pour ne plus jamais perdre le fil de l'aventure...

Découpe ce marque-page en suivant les pointillés, plie-le en son centre et colle-le.

© Éditions Hemma
106, rue de Chevron
4987 Chevron
Belgique
N° d'impression: 5400.0302
Dépôt légal: 10.02/0058/283
Imprimé en Italie

Loi n°49-956 du 16 juillet 1949
sur les publications destinées à la jeunesse